Au loup !

ISBN 978-2-211-08374-4
Première édition dans la collection « lutin poche » : mai 2006
© 2005, l'école des loisirs, Paris
Loi numéro 49 956 du 16 juillet 1949 sur les publications
destinées à la jeunesse : mars 2005
Dépôt légal : mai 2020
Imprimé en France par Aubin Imprimeur à Ligugé

Stephanie Blake

Au loup !

les lutins de l'école des loisirs
11, rue de Sèvres, Paris 6ᵉ

Il
était
une
fois
un
petit
lapin
qui ne faisait que ce qu'il
voulait.
Lorsque sa maman lui disait :
« Range ta chambre
mon petit lapin »,
il criait :

« Au loup ! »
(même s'il n'y avait pas de loup)
et
comme
sa
maman
avait
peur
du loup...

Le
petit
lapin
faisait
ce
qu'il
voulait.

Lorsque
sa
maîtresse
lui
disait :
« Récite-moi ton alphabet
mon petit lapin »,
il criait :

«Au loup !»

et

comme

tout

le monde

avait

peur

du loup…

Le petit lapin faisait ce qu'il

voulait.

Lorsque
son
papa
lui disait :
« Fais pipi dans ton pot
mon petit lapin »,
il criait :

«Au loup!»

Alors
son
papa
partait
en courant
et le petit lapin faisait ce qu'il
voulait.

Un
jour
que
le petit lapin
faisait
pipi
où
il
voulait,
une grosse voix grogna derrière lui :
« Tu te crois où, là, mon petit
lapin ? »

« Maman !
Au loup ! »

hurla

le

petit

lapin.

Alors sa maman lui répondit :
« Désolée, ça ne prend plus,
mon petit lapin. »

«Au loup !»
criait
de
toutes
ses
forces
le
pauvre petit
lapin…
mais personne ne le crut.

Alors
le loup attrapa
le
petit
lapin
et dit :
« Dis-moi mon pote
tu connais la peur du loup ? »
Mais le petit lapin
hurla encore plus fort :

« Papa !
Papa ! Papa !
Au loup ! »

« Plaît-il ? »
demanda le papa-loup.
« Oh ! Papa ! C'est toi !
Ne refais plus jamais ça !
C'est horrible
terrible
affreux
abominable
effroyable
la peur du loup.
Je ne crierai plus jamais au loup. »

Mais
le
lendemain
matin,
lorsque sa maman ouvrit
le
placard à provisions,
le petit lapin
hurla :

« Aooouuuw ! »